Doce rosas para Rosa

Dolores Soler-Espiauba

Doce rosas para Rosa

Serie Hotel Veramar

Diseño de la colección: Ángel Viola
Ilustraciones: Julio Cebrián

ISBN: 978-84-87099-05-2
Depósito Legal: B-35861-2008

Impreso en España – Printed in Spain en Tesys
Reimpresión: julio 2008

difusión

Centro de
Investigación y
Publicaciones
de Idiomas, S. L.

C/ Trafalgar, 10, entlo. 1ª
08010 Barcelona
Tel. (+34) 93 268 03 00
Fax (+34) 93 310 33 40
editorial@difusion.com

www.difusion.com

Capítulo 1

Hace ya algunas semanas que Cari[1] está trabajando de recepcionista en el Hotel Veramar, un pequeño hotel cerca de Mojácar, en la costa de Almería. Ha vivido una aventura difícil con un cliente del hotel, un poco loco, que se enamoró de ella y quiso secuestrarla, llevándose al mismo tiempo la caja fuerte del hotel. Gracias a la intervención oportunísima de Eneko, el joven cocinero vasco del hotel, de quien Cari está secretamente enamorada, pudo salvarse, pero le ha quedado un buen trauma. Sus relaciones con don José, el solitario y misterioso dueño del hotel, cuya vida privada nadie conoce, son un poco tensas. Menos mal que tiene más amigos entre el personal del hotel: Paco, el jardinero y vigilante nocturno, hombre para todo, y Angela y Rocío, las chicas de la limpieza. También está Mari Carmen, que sirve en el comedor y ayuda a Eneko en la cocina, pero sus relaciones con Cari son más difíciles, pues Mari Carmen tiene muy mal carácter y siempre chocan.

Cari está hoy completamente desbordada. Acaban de llegar al hotel doña Rosa y su familia. Hay un lío tremendo: son quince personas, pero parecen muchos más. Todos hablan a la vez, exigen, gritan, protestan, ríen y se pelean, "¡Qué semanita me espera con esta gente en el hotel!", piensa Cari.

Doña Rosa, como invita a toda su familia todos los años por estas fechas en este mismo hotel, es la que lleva la voz cantante[2].

–Pero, ¿cómo es posible? El año pasado nos dieron habitaciones que se comunicaban entre sí, todas en el mismo piso. Y este año estamos unos en el primer piso y otros en el segundo. ¡Don José! ¿Dónde está don José?

Interviene una niña rubia muy descarada:

–Y yo quiero estar con las primas. Con Beatriz y con Esther. O sea, que necesitamos una habitación con tres camas.

–¡Naturalmente! ¿Cómo se van a separar mis tres nietas? ¡Si son uña y carne![3] Y, además, aunque yo reservara por teléfono cinco habitaciones, necesitamos una más, porque también ha venido mi hermana –dice señalando a una señora que no abre la boca[4] para nada.

En ese momento interviene un yerno de doña Rosa, con aspecto de ejecutivo[5] importante:

–Pero, bueno, ¿cuándo van a poner televisión en las habitaciones? Estamos en el siglo xx, casi en el xxi, ¿no?

Cari no puede más. No puede soportar a este tipo de gente. Se levanta sin decir palabra y llama a la puerta del despacho de don José, cosa que hace solamente en los momentos muy difíciles.

–¿Se puede?

–Adelante.

–Perdone, don José, pero no consigo organizarme con esta gente… Protestan por todo. No están contentos con nada. Nada les gusta… Son tan exigentes que no sé qué hacer. ¿Podría venir un momento a la recepción, por favor?

–Tranquila, Cari. No olvide que son de esa gente importante acostumbrada a exigir y a ser bien servida. Vamos a ver qué pasa y, sobre todo, mucha serenidad y mucha cortesía, no lo olvide.

Sale don José arreglándose la corbata: le besa la mano a

doña Rosa, abraza al hijo y a los dos yernos, les da un par de besos en las mejillas a las hijas y a la nuera, también a la nieta mayor, y acaricia la cabeza de los pequeños:

–Vamos a ver, vamos a ver qué problemas hay. Claro, es que este año tenemos más gente en junio, por eso no hemos podido ponerlos a todos en el mismo piso. Pero se me ocurre una idea: los mayores en el primero y la gente joven en el segundo, ¿qué les parece?

–¡Eso, eso, vale! Así no tendremos que aguantar a los viejos[6].

–¿Podremos estar las tres juntas, don José? Es que somos muy amigas –pregunta la rubia descarada.

–Pues claro. Eso lo arreglamos ahora mismo.

Toca un timbre y aparece Paco.

–Paco, llama a Ángela y entre los dos lleváis una cama plegable a la 208. Estas señoritas no se pueden separar –añade, riendo.

Paco, el botones, desaparece, eficaz, con las maletas de las chicas, que se van detrás de él, muy contentas.

Cari los observa muy seria, cruzada de brazos. "¡Qué clan! Doña Rosa, por lo visto, es la viuda de un antiguo ministro de Franco[7]. Acostumbrada a mandar, claro. Su hermana, doña Elena, irremediablemente soltera. Antes se decía *solterona*, en estos casos. Pero ahora ya no hay solteronas –piensa Cari–. La que no se casa es porque no quiere".

Luego mira a las dos hijas con sus maridos, los yernos de doña Rosa; y al hijo con su mujer, la nuera de Doña Rosa. Todos son muy elegantes y muy guapos. Y, a lo mejor, hasta salen en el *Hola*[8]. Ellas van muy bien vestidas, con joyas, bien peinadas y maquilladas. Ellos parecen *yuppies*[9], deportistas y bronceados. Todos llevan ropa cara, Y los nietos... Cari descubre de repente a Rosa, una belleza de diecisiete años, guapísima: es alta, morena, tiene unos grandes ojos verdes, una dentadura perfecta, un pelo largo, negrísimo y bien cuidado y un tipo precioso. Cari la mira con envidia: "Medirá por lo menos 1,75. ¿Por qué no tendré yo unos centímetros más?", piensa Cari. El hermano de Rosa, Juan, también es alto y moreno: en este momento está descargando del coche la tabla de surf.

La segunda hija de doña Rosa, Carmen, tiene dos niñas gemelas, Beatriz y Esther, de doce años, y un niño más pequeño, Álvaro, que tiene diez.

La rubita descarada, Marta, es la hija de Antonio, el hijo de doña Rosa, y de su mujer, Mercedes. Tiene trece años; su hermano Javi, once, y el más pequeño, José, nueve.

"¡Uf, qué clan!", murmura Cari, mientras les da las llaves de las habitaciones con una gran sonrisa, porque don José está delante y la está mirando.

En ese momento aparece Eneko, que viene de comprar pescado, mucho pescado, en la lonja[10] de Garrucha[11], a unos kilómetros de Mojácar. Y, naturalmente, ¿qué es lo primero que ven sus ojos? –observa Cari–. La impresionante belleza de Rosa, sentada en el sofá, con su minifalda y sus largas piernas bronceadas ocupando media recepción.

Eneko casi se cae de la impresión, con su caja llena de salmonetes, mero, merluza, emperador, calamares, gambas, almejas…

Cari prefiere ignorarlo y termina de entregar sus llaves con un suspiro desesperado:

–¡Qué cruz, Dios mío! ¡Qué cruz!

Naturalmente, los niños quieren bañarse inmediatamente, aunque ya son las ocho de la tarde, y empiezan todos a gritar y a tirarse a la piscina. Paco los mira un poco inquieto por sus flores y su césped.

La hija mayor de doña Rosa, Rosi, le pregunta a Cari:

–¿Hay alguna peluquería buena por aquí?

–Sí, en Mojácar hay varias…

–¿Pero buena, buena?

–Hombre, yo no sé si a usted le gustarán o no, pero siempre están llenas de gente. No tienen mala pinta, la verdad.

–¿Y a qué hora abren?

–No estoy segura, pero me parece que a las nueve, y supongo que cerrarán entre dos y cinco y volverán a abrir hasta las ocho y media o así.

–No sé. Creo que voy a esperar a volver a Madrid. No me fío –dice Rosi desconfiada–, pero es que llevo la cabeza fatal…

Cari le mira su peinado impecable. "Qué gente más tonta." La ponen nerviosa. "Nuevos ricos, es lo que son: nuevos ricos."

–Como usted quiera –le contesta.

Ahora se acerca el marido de Rosi:

–Llame a este teléfono de Madrid y pásemelo a la habitación, por favor.

Cari piensa que, afortunadamente, ya son las ocho y su jornada de trabajo se ha terminado por hoy. Marca el número, se lo pasa al cliente y llama discretamente a la puerta de don José:

Don José, me voy, que son las ocho y diez.

–¿Ya? –pregunta extrañado.

Si, casi y cuarto. Hasta mañana. "Este sabe muy bien cuándo tenemos que entrar, pero nunca se acuerda de cuándo tenemos que salir…", murmura entre dientes.

Capítulo 2

Sube a su cuarto, se ducha, se cambia de ropa y busca papel, un sobre, un sello y un bolígrafo en el cajón de su mesa:

"Querido Gabriel:

No comprendo qué te pasa. Te expliqué lo que me pasó con aquel cliente loco y, en vez de animarme con palabras de cariño, me dices que debo abandonar el hotel inmediatamente y volver a Cartagena con mi familia. ¿Estás loco? Tú sabes bien que tengo un contrato de cuatro meses con el Veramar y que además necesito este dinero, pues no tengo otro trabajo. Me hace falta para pagarme las clases de informática y de idiomas el curso que viene. Tu carta era muy seca y me ha dejado muy triste. Tú también estás muy raro estos últimos tiempos. Debe de ser la mili [12]. Así, a distancia, es muy difícil tener una relación normal. Creo que es mejor dejar lo nuestro de momento. Me sabe muy mal, pero lo he estado pensando y creo que necesitamos algún tiempo para pensarlo. En octubre tendremos las ideas más claras los dos y podremos tomar una decisión. ¿No te parece? No quisiera que te enfadaras, de verdad. Compréndeme.

Te deseo mucha suerte en la mili. Diviértete mucho y aprovecha bien el verano. Y, sobre todo, no te enfades conmigo, por favor. Para mí siempre eres el mismo, mi querido Gabriel.

Un beso,

Cari"

Se ha puesto un poco triste y se asoma a la ventana. Abajo, Eneko ha terminado de descargar la furgoneta y está aparcándola en el garaje del hotel. Qué guapo es. Es el chico más guapo de todos los que conoce. Es realmente guapísimo. Es alto y tiene un cuerpo muy flexible, los hombros anchos, las caderas estrechas, las piernas largas... no es ni gordo ni delgado. Perfecto, vamos. Además, tiene ese pelo rubio que le cae sobre la frente, siempre despeinado; no es un cabello rizado, como el de Cari, sino lacio. "Los ojos de Eneko también son bonitos: grandes y verdes, con largas pestañas rubias que le dan una sombra misteriosa. Los ojos más bonitos del mundo", suspira Cari. La nariz es un poco larga, como la de casi todos los vascos, y los labios finos. Tiene también una barbilla ancha y voluntariosa y unas orejas pequeñas, que apenas se ven debajo del cabello. "Pero no me hace caso, no me hace caso, no le importo nada", piensa Cari, desesperada, olvidándose completamente de la carta para Gabriel que espera encima de la mesa.

Se mira en el espejo:

–¿Tan fea soy?

Observa detenidamente sus enormes ojos negros, sus cejas anchas y bien dibujadas, su nariz pequeña, sus mejillas redondas, su frente un poco estrecha, su pelo negrísimo... "Creo que soy muy fea, demasiado fea para él... Pensemos en otra cosa." Mete la carta en el sobre, lo cierra y le pega un sello; se peina un poco, se pone un poco de rojo en los labios y sale con la carta en la mano.

Cerca del hotel, a unos cincuenta metros, hay un buzón de correos y Cari echa la carta. El cartero pasa todos los días por el hotel a recoger y a dejar el correo, pero prefiere hacerlo así, es más discreto. En el camino de vuelta se cruza con dos chicos, veraneantes seguramente, que se vuelven a mirarla y silban descaradamente. Cari sonríe: "Bueno, debo de ser menos fea de lo que pensaba". Y la moral le sube inmediatamente. Tanto que, en vez de regresar directamente de su habitación, pasa por la recepción, donde don José ha ocupado su puesto, y se dirige a la cocina. Eneko distribuye el pescado entre el congelador y el frigorífico, según las necesidades de los próximos días, y Mari Carmen pela patatas, sentada cerca de la ventana.

–¿Había mucha gente en Garrucha, Eneko? –pregunta Cari.

–Huy, no te puedes imaginar. Estaba llenísimo. Como hacía tan buen tiempo, anoche salieron todos los barcos y han traído mucha pesca. Muy cara también, pero eso es problema del patrón.

–Pues con lo tacaño que es, estará contento... –comenta irónicamente Mari Carmen entre dos patatas.

–A mí me da igual. Yo nunca pago. Digo que le pasen la factura al Veramar y tranquilo. Yo no quiero líos de dinero.

–¿Y dices que había muchos turistas?

–El puerto estaba lleno de turistas. Unas extranjeras rubias y altas, preciosas. Había que concentrarse bien para comprar buen pescado. ¡Qué mujeres!

Cari se siente morir. Altas y rubias... Dios mío. Mari Carmen la mira burlona:

–Más guapas que nosotras, imposible, ¿verdad, Cari?

Cari desea matarla, estrangularla, envenenarla.

Pero decide cambiar de táctica y de conversación:

–¿Qué preparas para la cena de esta noche, Eneko?

–Voy a hacer un ajoblanco [13].

–Huy, qué rico, me encanta. A mi madre le sale estupendo.

Pero, Eneko, a mí lo que me gustaría es que me dieras la receta del marmitako. ¿Sabes hacerlo?

–Claro. ¡No voy a saber! Pero tú no entiendes mucho de cocina, me parece a mí...

–De cocina vasca, desde luego que no. Pero de cocina de mi tierra...

–Hum... Pues verás: un marmitako es un plato a base de pescado, pero el mejor es el bonito[14]. Sabes qué pescado es el bonito, ¿no?

–Oye, ¿tú crees que soy tonta o qué?

–No te enfades, mujer. Bueno, pues se ponen a cocer las patatas, cortadas a cuadraditos.

–Y previamente peladas por la esclava Mari Carmen –interrumpe esta.

–Ya salió la otra. No interrumpas, por favor. ¿Cuántas patatas?

–Por ejemplo, dos kilos de patatas y dos kilos de bonito para ocho personas... se añade sal y una guindilla picante[15]. Tiene que estar picantito. Cuando les faltan cinco minutos a las patatas para estar cocidas, se añade el pescado, cortado también a cuadraditos. Tiene que haber poca agua, ¿eh?, y a fuego muy lento.

–Vale, ¿y qué más?

–Pues, mientras tanto, en una sartén se fríen dos cebollas picadas, dos dientes de ajo, ocho pimientos pequeños y ocho tomates maduros, sal y pimienta; con aceite de oliva, claro, y muy lentamente...

–Sí, claro, a fuego lento. ¿Y luego?

–Cuando todo forma casi un puré, se echa en la cazuela donde están el pescado y las patatas, que debe ser una cazuela de barro. Esto es muy importante.

–Ya, ya.

–Se deja hervir todo unos minutos más... Ah, y el puré de tomate tiene que cubrir el pescado, ¿comprendes?

–Comprendo, no soy boba. Pero los pimientos, ¿los fríes enteros o en pedazos?

–Si son pequeños, enteros, quitándoles el rabo y las pepitas. Si no hay pequeños, entonces corto los grandes a trocitos. Al final se pueden añadir unos pedacitos de pan frito.

–Mira, Eneko, estas recetas del Norte a mí me parecen muy bien, pero no son recetas de verano. En verano se comen otras cosas...

–¡Anda! ¿Qué cosas?

–Pues no sé... Ensaladas, un gazpacho, por ejemplo...

–El gazpacho no alimenta –dice Eneko.

–En verano hay que comer menos, porque se gastan menos calorías. Además, el gazpacho tiene muchas vitaminas.

–Es verdad, es muy bueno para la salud y muy refrescante –Mari Carmen se ha pasado al bando de Cari, por solidaridad regional, seguramente.

–Estoy segura de que a los clientes les encantaría el gazpacho. Con este calor...

–Bueno, bueno. Pero de vez en cuando les haré un plato vasco, ¿vale?... ¿Y cómo hacéis ese gazpacho, el de Cartagena, quiero decir?

–Pues, mira, metes en una batidora, o un *minipímer*[16], o algo que triture bien...

–Sí, sí. Aquí hay de todo, no te preocupes.

–¡Menos un ordenador! Pues... bueno, yo te doy la receta para ocho personas, porque en mi casa somos ocho, ¿sabes?

–Sí, claro. No importa.

–Coges un kilo y medio de tomates maduros, los pelas y los partes en trocitos.

–Ya, en trocitos.

–Un pepino grande, lo pelas y le quitas las pepitas, lo partes también, y luego dos pimientos pequeños, o uno grande verde, y los cortas también a pedacitos; tres dientes de ajo, un vasito de aceite de oliva, un puñadito de comino, sal, pimienta...

–Espera, espera, no vayas tan deprisa.

–¡Ah!, y algo muy importante: coges un poco de pan, lo mojas cinco minutos en un tazón con agua y un par de cucharadas de vinagre y... ¡todo a la trituradora!

–Al *minipímer*, ¿no?

–Sí, eso, lo trituras todo bien durante unos minutos.

–Vale, lo paso todo. ¿Y después?

–Debe quedar muy fino, como una sopa espesa... Después, lo dejas unas horas en la nevera; si es necesario, añades un poco de agua y se sirve en una sopera o fuente honda, acompañado de varios platitos donde has puesto pepino picadito, huevo duro picadito, aceitunas picaditas...

–Huy, cómo me voy a divertir picando, todo muy picadito, ¿verdad, preciosa? –Mari Carmen se ha pasado de nuevo al enemigo.

–Es el mejor plato cuando hace calor...

–Y tan bonito...

–Pero eso no alimenta nada –gruñe Eneko.

–Qué manía con la alimentación.

–Anda, Eneko, haznos un gazpacho mañana, que en la tele han dicho que van a subir las temperaturas.

–Bueno, ya veré si tengo bastantes tomates. Los del sur no coméis nada consistente, todo ensaladitas y fritos, y ya está.

Claro, por eso no crecéis.

Cari ve como una nube roja ante sus ojos y sale inmediatamente de la cocina:

–¡Qué cruz, Virgen Santísima!

Mientras, Mari Carmen se ríe bajito.

El día ha amanecido nublado, pero con mucho calor. Anoche, antes de acostarse, Cari dio un paseo por la playa, que estaba completamente desierta. Solo había algunas personas paseando perros y dos o tres parejas de novios que la pusieron de mal humor. Hacía una noche clara y el cielo estaba lleno de estrellas. Después, hacia las doce, salió la luna. Siempre que hay luna llena, Cari se pone nerviosa y agitada. No sabe qué le pasa. Volvió al hotel sobre las doce y media. Las terrazas de los cafés estaban llenas. Todos parecían contentos menos ella. Cuando llegó, alguien estaba hablando en el teléfono de la recepción, su teléfono. Era Eneko. Eneko hablando por teléfono a las doce y media de la noche y, naturalmente, en vasco [17]. Lo que le faltaba a Cari esta noche. Se sintió más desgraciada que nunca y pasó por su lado sin saludarlo ni mirarlo. Subió a su habitación y se metió en la cama sin encender la luz. Por la ventana abierta entraba la luz de la luna, una luz fría que la molestaba. Se durmió tarde y soñó con cosas complicadas que ya no recuerda. Por eso esta mañana se encuentra mal y responde de mal humor a la bella Rosa, la nieta de doña Rosa, que le pregunta:

–¿No han traído nada para mí?

–No, nada que yo sepa.

–Si preguntan por mí, me avisas sin falta. Estoy en mi cuarto.

–Sí –murmura entre dientes sin querer mirarla, porque está más guapa que nunca, con su bronceado perfecto. "Claro, todo

*Se sintió más desgraciada que nunca
y pasó por su lado sin saludarlo…*

el día en la playa o en la piscina, no como las que trabajamos". Lleva un sari indio color naranja, que le deja los hombros desnudos, un collar y pulseras en colores vivos y una flor blanca en el pelo. Cari cree que es difícil ser más perfecto y vuelve a su contabilidad.

Se acerca Paco. Menos mal que hay alguien simpático en este hotel, piensa. Paco siempre le sonríe y le levanta la moral.

–No trabajes tanto, niña, que es malo para el cutis.

Cari le sonríe:

–¡Mira quién habló de trabajar! Si tú no paras…

–Claro, es que lo aprendí con los alemanes. Diez años trabajando en Alemania.

–¡Anda! ¿Y por qué te volviste?

–Pues me volví… No sé, me volví… ¡por las judías con chorizo![18] Sí, creo que fue por las judías con chorizo.

Cari se ríe ahora francamente:

–Cuéntame.

–Pues nada, que llevaba diez años comiendo salchichas, col y patatas y, de pronto, un día me acordé de unas judías con chorizo que preparaba mi madre los domingos y me entró una nostalgia… bueno, casi una depresión. Y no lo pensé más: le dije a mi jefe que me volvía a España. Tenía un poco de dinero ahorrado y eso me sirvió para poner un bar en Mojácar. Da mucho trabajo pero no me va mal, estoy contento. En verano trabajo aquí mientras mi mujer se ocupa del bar con una hermana que la ayuda.

–Y me imagino que todos los domingos comerás judías con chorizo, ¿no?

–Qué va. Al principio las tomaba muchas veces, pero un día cogí una indigestión enorme y desde entonces ya no las puedo ni ver. Además, con estos calores…

–¿Y echas de menos Alemania?

–Mucho, fíjate. Era una vida muy organizada, ganaba más dinero y, si quieres que te diga la verdad, trabajaba menos que aquí.

–¿Pero no decías que en Alemania se trabajaba tanto?

–Claro, pero ocho horas diarias y nada más. Y llegaba mi mes de vacaciones y yo me venía a España sin problemas, mientras que ahora, en mi bar, trabajo todo el día, no tengo una jornada laboral fija como allí y tampoco tengo vacaciones, porque tengo tanto trabajo en verano como en invierno. Y encima, como soy autónomo[19], tengo que pagar más impuestos... Total, un desastre, hija.

–Entonces, ¿te arrepientes de haber vuelto?

–No sé... Todo en la vida tiene sus ventajas y sus inconvenientes. Aquí estoy en mi tierra, hablo mi idioma, tengo a toda mi familia, mis hijos se sienten en casa, en su escuela, pero tengo más problemas materiales: papeles, impuestos, exceso de trabajo, no tengo nunca vacaciones...

–Pero las judías con chorizo...

–Imagínate que ahora echo de menos las salchichas y la cerveza alemana.

–Es que nunca está uno satisfecho con lo que tiene –filosofa Cari.

–Exacto. Ese es el problema del emigrante, que se siente extraño en todos sitios.

–¿Y allí a qué te dedicabas?

–Pues trabajaba en un fábrica de automóviles. Éramos muchísimos, casi todos extranjeros: italianos, portugueses, españoles, yugoslavos y turcos, sobre todo, turcos. Porque no sé si sabes que hay muchos turcos en Alemania.

–Pues no, no lo sabía.

–Con ellos es más difícil entenderse, pero con los italianos nos llevábamos muy bien: teníamos equipos de fútbol, jugábamos unos países contra otros y también hacíamos fiestas de cada país y nos invitábamos. ¡Qué bien lo pasábamos!

–¡Qué bonito!, ¿verdad?

–Sí. La empresa nos alojaba en unos pabellones especiales para los obreros y teníamos unos apartamentos muy bien puestos.

–Qué bien…

–No teníamos que ocuparnos de nada, ¿sabes? Nos daban calefacción y agua caliente gratis y hasta nos cambiaban las sábanas. Claro, entonces no teníamos hijos y mi mujer también podía trabajar en la fábrica, así que ahorrábamos mucho dinero.

–¿Y ya estabas casado cuando te fuiste a Alemania?

–No, no. La conocí allí, en el club español de la empresa, precisamente, y nos casamos aquel mismo verano aquí, en Mojácar.

–¿Y aprendisteis el alemán?

–Bueno, un poco lo hablábamos, ¡pero es tan difícil! Yo creo que es el idioma más difícil, ¿no te parece? Más difícil que le francés, desde luego, sí que es.

–Pero menos que el vasco. El vasco es dificilísimo.

–Huy, huy, tú y el vasco –dice Paco con segunda intención.

Cari se pone colorada, pero en ese momento sale don José de su despacho y cada uno se va a su trabajo.

Capítulo 3

Las dos y media. Cari termina de comer a eso de las dos y media y, antes de marcharse a la playa, pasa por la piscina. Debajo de un toldo, con un minúsculo bikini blanco, más maravillosa que nunca, tumbada sobre la hierba, la bella Rosa. Y a su lado, sonriente, admirativo, seductor... Eneko, que hoy tiene el día libre. A don José no le gusta que el personal alterne con la clientela, pero Eneko... Debe de estar enamorado de Rosa. Eso es: está enamorado de Rosa. Ahora lo ve todo claro. Cari sube a su habitación, se echa en la cama y empieza a llorar.

Las cinco y cuarto. Cari ha vuelto a su trabajo, después de una siesta agitada y de un corto baño en la playa. Hacía demasiado calor y había comido demasiado. La culpa es del marmitako de Eneko. Odia la cocina vasca. A partir de ahora solo comerá gazpacho. Se abre la puerta y aparece un joven muy moreno y delgado, con pantalones vaqueros y una camisa blanca. Lleva un ramo de rosas rojas que deja delante de Cari.

–¿La señorita Rosa Linares?

–Sí. ¿Quiere que la avise? Debe de estar en su cuarto, o en la piscina...

–No, no es necesario, gracias. Ella ya sabe de quién son las flores. Se las dejo aquí.

–Vale. ¿Hay que firmar algún papel? ¿O entregarle una tarjeta?

–No, no. Únicamente dele las flores, nada más.

Y se marcha tan rápidamente como ha llegado. Sin propina[20] ni nada. Cari oye un motor que arranca delante de la entrada, va a llamar a la habitación de Rosa, pero cambia de idea. Coge el ramo y decide llevárselo ella misma.

–¿Se puede?

–Adelante.

–Con permiso. Un chico le ha traído estas rosas. Me ha dicho que usted ya sabe.

–Pero, ¿por qué te has molestado en subirlas tú? ¿Se han ido los botones?

Cari sigue allí, plantada, sin moverse. La habitación huele a hierbas raras, como a incienso, y Rosa tiene una mirada extraña. "A lo mejor estaba durmiendo", piensa.

–¿Tenías que decirme algo más? –pregunta Rosa, impaciente.

–No nada.

–Pues gracias y hasta luego. –Y Rosa le cierra la puerta en sus narices.

–¡Qué cruz! –añade. Pero se va contenta, porque, por lo menos, sabe que Eneko no está con ella.

Las siete y media. Cari mira el reloj. Solo le falta media hora para terminar su servicio. Uf, está harta de la recepción. El teléfono no ha parado de sonar en toda la tarde y los nietos de doña Rosa han estado jugando y gritando en la escalera. ¡Qué gente más ruidosa y más pesada! Como para confirmar su idea, baja en ese momento doña Rosa, apoyada en el brazo de su hija mayor y seguida de sus otros dos hijos…

–¿Dónde está don José? Quiero hablar inmediatamente con don José.

Está pálida, parece muy nerviosa y agitada.

"¿Qué le pasará ahora?", se pregunta Cari mientras llama a la puerta de don José:

–Don José, es doña Rosa, que quiere hablarle.

Entran los cuatro e inmediatamente después se oyen voces y hasta gritos, pero Cari no puede oír bien la conversación. Al cabo de diez minutos, se abre de nuevo la puerta y esta vez es don José el que está muy pálido:

–Cari, ha pasado algo muy grave: ha desaparecido el anillo de brillantes de doña Rosa. Por lo visto, antes de bajar a la piscina, después de comer, lo dejó en la mesilla de noche y, cuando subió, a las seis menos cuarto, ya no estaba. ¿Ha visto usted entrar a alguien sospechoso en el hotel?

El corazón de Cari empieza a latir muy deprisa.

–Yo... Bueno, yo después de comer he estado en la playa... Pero, ahora que recuerdo, sobre las cinco vino un chico a traer unas flores, una docena de rosas para Rosa, la nieta de doña Rosa. Se las llevé a su cuarto yo misma... Pero el chico se fue enseguida. Oí perfectamente el motor del coche.

–¿Estás segura de que se fue enseguida? ¿No volvió a entrar por el jardín? ¿No lo vio en la escalera?

Entretanto, doña Rosa y sus hijos han salido del despacho y la miran fijamente. Cari sabe que está poniéndose colorada, terriblemente colorada.

–¿Dice que usted misma subió con las flores sobre las cinco? Pues es precisamente a esa hora cuando desapareció el anillo. ¡Qué casualidad! –dice doña Rosa con una mirada cautivadora.

–Para subir al segundo hay que pasar, naturalmente, por el primero... –dice la hija de Rosi con una sonrisa de conejo.

Cari tartamudea:

–Ta... también se pu... puede subir al primero por la puerta de ... del ja... jardín... –y está a punto de echarse a llorar.

Interviene don José, conciliador:

–¿Ha venido alguien más? Piénselo bien.

–Bueno, el cartero, como todos los días... Y luego la chica del bar de al lado, a cambiar un billete de cinco mil pesetas... Y hace un rato el camión de las bebidas... Y... Y... yo qué sé, los clientes que no paran de entrar y salir.

–Hay que llamar a la policía. Ese anillo vale muchísimo dinero –dice doña Rosa.

Don José se asusta:

–No, por favor, no hay que perder la sangre fría. Creo que de momento no es necesario. El anillo puede haberse extraviado: vamos a buscar sistemáticamente en todo el hotel. Tiene que aparecer.

Todo el clan se pone en movimiento y empieza a buscar: detrás de los sillones, encima de la chimenea, debajo de la alfombra, debajo de las camas, en los rincones del cuarto de baño, en el suelo y en los cajones de los armarios...

Todos buscan, excepto Rosa. "¿Dónde estará Rosa?", piensa Cari, a cuatro patas debajo de su mesa.

Las nueve. Había quedado con Nacho, Soledad y Vicente, unos amigos que conoció en los primeros días de trabajar en el hotel, para ir a cenar a Mojácar y después a una discoteca, pero ha tenido que llamarlos para decirles que es imposible, porque no está libre. Le duele la espalda y la cabeza de tanto agacharse y levantarse. El anillo no aparece por ningún sitio y Cari empieza a preocuparse. ¿Qué va a pasar? Un olor a hierba viene del jardín, que Paco acaba de regar, y este olor le recuerda a otro olor, de hierbas también... Una lucecita se enciende en su cabeza… Coge la llave maestra[21] y sube silenciosamente al segundo piso. Llama a la puerta del 207… No responde nadie. Abre sin hacer ruido. La habitación está muy desordenada: el sari y el bikini por el suelo, zapatos por todos lados, la cama sin hacer, el armario abierto… Y el ramo de rosas, las pobres rosas que se están muriendo de sed, encima de la mesa, sin agua, ni jarrón, abandonadas… Cari observa que el papel de aluminio que envolvía las puntas, para proteger las manos de las espinas, está roto y hay algunos trozos de él en el suelo y en la mesa. "Qué raro –piensa–. Les ha quitado el papel pero no las ha puesto en agua…" Coge un trozo de aluminio del suelo y observa que hay un poco de polvo blanco adherido a él.

–Huy, huy, huy, aquí hay gato encerrado[22]…

Se guarda el papel en el bolsillo y baja las escaleras, procurando no ser vista.

Baja directamente a la cocina, donde Eneko está preparando una sopa de pescado que huele muy bien, y le dice:

–Eneko, tengo que pedirte un favor muy grande…

Mari Carmen, que está pelando cebollas, levanta la cabeza llorando como una Magdalena[23] y sonríe, irónicamente, a pesar de sus lágrimas.

–Ya está esta…

–¿Decías algo?

–¿Yo? No, nada.

Capítulo 4

Las nueve y cuarto. Una moto arranca con mucho ruido delante de la puerta del hotel.

Las diez menos veinticinco. El puerto de Garrucha está animadísimo. Familias enteras se pasean, tomando el fresco y esperando la hora de la cena. Algunas parejas se besan en los bancos, hablando muy bajito. Grupos de pescadores terminan de recoger los utensilios de pesca y, abandonando los barcos, se dirigen hacia sus coches y motos, o van despacio hacia sus casas. Ha terminado la subasta del pescado y en el mercado solo quedan algunos grupos de hombres. En un rincón hay un hombre moreno y alto, con una cazadora de cuero y gafas negras.

Una joven muy guapa, morena también, que lleva algo en la mano cerrada y parece muy nerviosa, se acerca lentamente a él.

El hombre de las gafas negras fuma nerviosamente. Todavía no la ha visto.

Cari grita:

—¡Es ella!

—¿Estás segura de que sabes conducir la Yamaha, Cari!

—¡No te preocupes, mi hermano tiene una igual! La conozco muy bien.

Eneko se baja de la moto y Cari monta sola con gran decisión.

—¿Crees que te llegarán los pies a los pedales?

Cari prefiere no responder. "Qué cruz, qué cruz", murmura.

–¡Suerte! –le grita Eneko.

–¿Y tú, qué vas a hacer?

–¡Volveré en autoestop al hotel, estate tranquila, pero después de veros subidas a las dos en la moto!

La joven morena está a diez metros del hombre con gafas. Cari pasa junto a ella, da bruscamente media vuelta con la moto y le grita:

–¡Súbete inmediatamente a la moto, Rosa! ¡Se ha descubierto el robo!

Rosa la mira asustada, sin saber qué hacer… El hombre levanta la cabeza, las ve y saca una navaja del bolsillo de la cazadora, avanzando rápidamente hacia ellas…

–¡Sube, te digo!

El hombre está a unos pasos de ella. Por fin, Rosa reacciona y se monta detrás de Cari en la Yamaha, que salta, casi vuela en dirección a la carretera. El hombre intenta correr hacia el coche, aparcado a la entrada del puerto, pero en ese momento, Eneko tropieza con él destraídamente y el hombre se cae.

–¡Perdone! Iba distraído. ¿Se ha hecho daño? –se disculpa Eneko con una sonrisa. El hombre dice una palabrota y mira furioso la lucecita roja de la moto de las dos chicas, que se aleja a una increíble velocidad.

Eneko avanza unos metros y se instala al borde de la carretera con el pulgar derecho en alto, bien visible. Pero los coches pasan… Y el tiempo también.

Las diez menos cuarto. Los cabellos de las dos muchachas vuelan al viento de la noche. No llevan el casco reglamentario y Cari piensa:

–Si nos ve la policía… ¡Lo que nos faltaba!

Rosa va muy silenciosa y como avergonzada. Al fin, Cari rompe el silencio; pero no es fácil hablar con la velocidad de la moto:

–Rosa, tú andas en un lío de cocaína, ¿verdad?

–¿Cómo lo sabes?

–Por lo de las flores… El chico, tan raro… y lo del anillo.

–¿Qué dices? ¡No te oigo!

–¡Lo del anillo!… Y aquel polvo en el papel de las rosas…

–¡Pareces Sherlock Holmes!

–Hombre, no hay que ser demasiado lista…

–¿Lo saben los demás?

–No creo, pero la policía llegará dentro de diez minutos.

–¡Qué horror! ¡Hay que hacer algo!

La moto va a 140 kilómetros por hora. Cari piensa otra vez:

–Huy, si me coge la policía…

Pero hay que darse prisa. Le da pena Rosa, antes tan segura de sí misma y ahora tan frágil y preocupada, como una niña pequeña. Piensa que debe ayudarla.

–¿Quién era ese hombre, Rosa?

–Es un camello[24]. Me envió la cocaína y yo tenía que pagarle esta noche y…

–¡Habla más fuerte, no te oigo!

–Que yo tenía que pagarle y distribuir la droga y no tengo dinero.

–¡Ahora comprendo!

–¡Por eso cogí el anillo de la abuela!

Cari para bruscamente la moto y le dice, mirándola a los ojos:

–Estás completamente loca, Rosa. Ahora mismo vas a hacer lo que yo te diga: desde una cabina llamas a tu abuela y le dices que no sabes nada de lo que pasa y que esta tarde cogiste el

*El hombre levanta la cabeza, las ve y saca una navaja
del bolsillo de la cazadora…*

anillo porque ibas a salir con unos amigos y querías presumir con él. Que como tenías mucha prisa, no te dio tiempo para decírselo, pero que ahora te has acordado y la llamas para tranquilizarla, ¿vale?

–¡Qué idea, Cari! ¡Eres maravillosa! Pero ese hombre me va a matar, seguro que me va a matar…

–Ese es un problema entre tú y la policía, Rosa, yo solo puedo ayudarte a devolver el anillo… Pero, yo que tú, hablaría con la policía, de verdad

Hay una cabina de teléfono a la entrada de una urbanización. Cari mira si alguien las sigue… No hay peligro.

–¿Hotel Veramar? ¿Me pone con doña Rosa Azcárate, por favor? Abuela, soy Rosa…

–Pero, Rosa ¿dónde te has metido toda la tarde?

–Es que me fui con unos amigos de Madrid a la hora de la siesta. No te preocupes, vuelvo enseguida al hotel. Te llamaba para decirte, abuela, que, como no te encontraba por ningún sitio, no pude pedirte permiso y… como son unos amigos muy ricos, pues… quería presumir delante de ellos y cogí tu anillo de brillantes. No te importa, ¿verdad? –termina muy deprisa, y al otro lado del hilo Cari oye gritos y exclamaciones.

–¡No es posible, abuela! ¿Todo eso ha pasado por culpa mía? ¡Qué horror, qué vergüenza! No sé cómo pedirte perdón. Vuelvo ahora mismo al hotel, pero no te enfades, abuelita querida, que no lo he hecho con mala intención… Ha sido, solo por divertirme…

Rosa abre la puerta de la cabina y Cari ve que tres enormes piedras preciosas, en su dedo anular, brillan en la noche…

Las diez menos cinco. Rosa baja de la Yamaha en la puerta del hotel y le da un beso a Cari.

–No sé cómo darte las gracias…

–Anda, anda… Devuelve ese anillo. Pero eso no vale nada, si no decides también cambiar de vida…

–Eso es fácil decirlo. Mucho más fácil que hacerlo. Pero lo intentaré. Prometido.

Cari va a bajarse de la moto también, pero lo piensa mejor y da media vuelta, en dirección a Garrucha. Se oye el ruido del mar y el viento juega con sus cabellos cortos. Mete la cuarta, la quinta… Le encanta la velocidad, por eso le gustan las motos… Se cruza con algunos coches, pero, por más que mira, no consigue ver el interior por culpa de los faros… Cuando faltan pocos kilómetros para llegar a la entrada de Garrucha, ve a un muchacho alto y rubio, que, apoyado contra un árbol hace autoestop hacia Mojácar… Cari cruza la carretera y frena bruscamente delante de él:

–¿Puedo serle útil en algo, caballero? –pregunta ceremoniosamente, muy seria.

–Desde luego. Bájese ahora mismo de esa moto y devuélvasela a su legítimo dueño…

Cari se baja riendo. "¡Qué pena! Con lo que le gusta conducir…". Se instala detrás de Eneko, abrazada a su cintura. Huele un poquito a ajo, pero no le importa.

–Estaba preocupada por ti… Ese tío tenía una pinta[25]…

–A mí tampoco me gustaba nada… ¿Viste la navaja?

–¿Qué horror! Y Rosa, tan cándida como parecía. Menuda doble vida lleva.

–Así son los ricos. Oye, Cari, ¿sabes una cosa? Pues que esta noche no vamos a volver al Veramar porque nos vamos los dos a bailar a una discoteca. ¿Te apetece?

–Me estoy muriendo de ganas… Pero, ¿y la cena?

–No te preocupes. Como es mi día libre, ya se ocupará el sustituto de calentar la sopa, freír el pescado, hacer la ensalada y sacar del congelador el helado. Y Mari Carmen le ayudará. Vale mucho esa Mari Carmen. Es una joya[26].

Algo pasa como una nube por el estado de felicidad total de Cari, pero prefiere olvidarlo.

Las diez y media. Cari y Eneko entran en una discoteca de Mojácar. Acaban de poner la canción preferida de Cari, la canción del verano. Eneko le sonríe mientras salen los dos a la pista y Cari, por fin, se siente feliz.

Capítulo 5

El mes de junio se está terminando y siempre a finales de mes hay más movimiento en el Veramar. Doña Rosa llama por teléfono a la recepción, imperiosa como siempre.

–¿Podría prepararme la cuenta para mañana? Nos vamos muy temprano.

–Haré todo lo posible. No empiezo a trabajar hasta las nueve, pero se la dejaré a don José esta tarde, antes de marcharme.

–Que no se le olvide, ¿eh?

–No señora, esté tranquila. No se me olvidará.

–Yo, en su lugar, la haría ahora mismo para evitar olvidos.

–Señora, le repito que tendrá su cuenta lista mañana a primera hora de la mañana. "Dios mío, qué plomo²⁷", gime, colgando el teléfono.

Va hacia la calculadora y piensa: "¿Cuándo se decidirá este hombre a comprar un ordenador?" Suma todos los gastos de la familia Azcárate: bar, teléfono, lavandería, un telegrama, algunos sellos, postales… y, naturalmente, una semana completa, seis habitaciones, ¡Ah!, y el IVA²⁸, ya se le iba a olvidar el IVA… "Uf, qué tranquilos nos vamos a quedar…" Pero de repente, se pone triste sin saber por qué… y se da cuenta de que es por Rosa. Por Rosa, que se ha hecho amiga de Cari en estos últimos días, desde la terrible aventura de Garrucha, y que varias noches ha subido la escalerita de caracol que conduce a las habitaciones del personal para charlar con ella. La primera noche, serían las once, llamaron suavemente a su puerta y cuando abrió, Cari no se lo podía creer.

–¿Te pasa algo?

–No, es que vengo a darte las gracias…

–¿Las gracias de qué?

–Mujer, las gracias por todo, por el peligro que habéis corrido los dos, por vuestra generosidad, por vuestra discreción… ¿sabes? Yo nunca he tenido amigos como vosotros. Todos mis amigos siempre han sido interesados, siempre han salido conmigo por algo: o por que mi abuelo era ministro, o porque mis padres tenían dinero…

Cari piensa: "En eso tienes razón: cuanto más rica es la gente, más egoísta. ¿Por qué será?"

–Anda, pasa y siéntate un rato. No tengo nada de beber, pero podemos oír música. Me he traído el radio-casete y unas cintas… ¿Te gusta Sabina[29]?

–Me encanta.

–Pues aquí tengo "Hotel, dulce hotel", justamente. ¿La ponemos?

Cari busca la cinta, la coloca, le da al botón.

–No puedo ponerla muy alto, por los huéspedes…

–Qué le vamos a hacer.

Las dos se sientan en el suelo, delante de la ventana abierta por donde entra la luna llena.

–Fíjate qué luna más maravillosa.

–Es verdad, los cielos del Mediterráneo son únicos, todo el mundo lo dice.

–Rosa, tú estás traficando con cocaína, ¿no?

–Lo que me pasa a mí, Cari, es que no tengo personalidad. Soy muy, pero que muy influenciable. Cualquiera me convence y me lleva por su camino. Yo entré en el mundo de la droga porque me enamoré locamente de un chico que era camello y no supe resistirme... Y una vez que estás en el circuito, es casi imposible salir. No te dejan salir para que no les denuncies.

–Ya. Pero alguna manera habrá de salir, Rosa. Tú no quieres acabar mal, ¿verdad? Yo que tú hablaba con la policía o con algún abogado de confianza. No sé. Búscate a alguien que pueda echarte una mano.

–¿Ir a la poli? Eso, jamás. ¿No ves que irían con el cuento a mis padres? Y si se enteran me matan. ¿Y mi abuela? Tú conoces a mi abuela, es un monstruo.

–Pero te quiere mucho, Rosa. ¿Qué crees que es mejor: seguir viviendo con esta angustia o decir la verdad y cambiar de vida?

Rosa se calla. La voz de Sabina llena el silencio de la noche. Tiene la mirada triste. "¡Qué pena! –piensa Cari–, con lo guapa que es."

–¿Y qué fue de aquel chico?

–Hace mucho que no lo veo. La última vez que lo vi estaba mal, fatal, ingresado en un sanatorio.

Otro largo silencio y Sabina se calla también.

–¿Y tú, Cari?

–Yo... bueno, tengo un amigo en Cartagena, un tío[30] muy majo, pero últimamente las cosas no van bien entre los dos...

–¿Por qué? ¿No os lleváis bien?

–No es eso, es que de pronto ha dejado de interesarme; es muy raro, porque antes me gustaba mucho y nos llevábamos muy bien. Pero, ahora, sin embargo, ya no me apetece verlo. No sé...

–Eso es que te gusta otro –sonríe Rosa.

–¡Qué va!

Rosa se levanta perezosamente.

–Bueno, me voy a la cama. Me muero de sueño.

Se dan un beso y se despiden.

–Que duermas bien.

–Que descanses.

Antes de cerrar la puerta, Rosa le advierte:

–Oye, y mucho cuidado con el de la navaja, es peligroso… Lo conozco bien… Yo que tú no saldría sola.

–No te preocupes. Buenas noches, Rosa.

Cari siente un escalofrío en la espalda y cierra la puerta con llave. Para darse ánimos pone otra de sus canciones preferidas, "Pongamos que hablo de Madrid" y, poco después, sin dejar de pensar en Rosa, se queda dormida.

Capítulo 6

–Hotel Veramar. Dígame.

–Quería hablar con Caridad Lozano, por favor.

–Mamá, ¿eres tú?

La voz de su madre, con su acento del sur, le llega a través del hilo.

–¡Cari! ¿Cómo estás, hija? Ya estábamos preocupados por ti… No llamas, ni escribes…

–Tienes razón, mamá. Pero es que no paro de trabajar. Acabo muerta de cansancio por las noches…

–Pero comerás bien, ¿verdad, Cari? ¿Comes bien? Di…

"Qué obsesión, las madres, con la comida", piensa Cari.

–Sí, mamá, como muchísimo, no te preocupes. Estoy engordando y todo, ponte contenta. Además, tenemos un cocinero vasco fenomenal.

–¡No me digas! ¿Y el dueño? ¿Es buena persona? ¿Se porta bien contigo?

–Psé. Un poco raro, pero no es mala persona. ¿Y vosotros?

–Yo, bien, pero Paloma ha estado con anginas y Manolo ha tenido un pequeño accidente con la moto, nada de particular, aunque la moto está en el taller desde hace una semana.

–¡Qué mala suerte! Pero, a él, ¿seguro que no le ha pasado nada?

–No, no, solo unos rasguños en la rodilla y el susto, claro.

–Bueno, bueno. Menos mal. Y Paloma, ¿ya está bien?

–Sí, ya sale a la calle, pero ha tenido mucha fiebre. Tuvimos que llamar al médico y todo, y le recetó antibióticos. Se ha quedado muy débil, la pobre.

–Vaya por Dios. Cambiando el tema, ¿hace mucho calor por ahí?

–¡Huy, terrible! Un horno. Treinta y ocho grados a la sombra. No te digo más. ¿Cuándo piensas venir a vernos? Te echamos muchísimo de menos.

–Y yo también, mamá bonita. Este fin de semana. Estoy libre a partir de las ocho del sábado, así que…

–¡Huy, qué alegría! Si vienes, te haré gazpacho y una paella y…

Después de colgar, a Cari le entra una enorme nostalgia de su madre, de su familia y de Cartagena. No lo piensa más: este fin de semana irá a verlos.

Paco se acerca a la recepción con una sonrisa misteriosa.

–Me lo ha dado para ti la nieta de doña Rosa, la guapa, antes de marcharse esta mañana, cuando estaba yo limpiando la piscina.

Y le tiende un paquete.

Cari lo abre cuidadosamente: ¡El maravilloso sari de seda color azafrán y una pulsera de plata que un día Cari admiró en el brazo de Rosa! Dentro del paquete hay una tarjeta: *"Para que no me olvides. He pensado mucho en nuestra conversación de la otra noche y muchas cosas están cambiando en mí. Un beso. Rosa."*

Cari ha decidido irse a Cartagena en autoestop. Sabe que no es muy prudente, y que puede ser incluso peligroso, pero no hay transportes directos desde Mojácar y si quiere aprovechar su tiempo libre, desde las ocho de la tarde del sábado hasta las nueve de la mañana del lunes, no tiene otro remedio.

A las ocho en punto, le entrega la llave de la caja a don José, que pone mala cara porque Cari se va.

"¡Es el colmo! Como si yo tuviera que pedirle permiso para organizarme el fin de semana… ¡Qué tío!" piensa Cari mientras sube las escaleras de dos en dos. El gatito Regaliz la espera delante de la puerta de su cuarto, como todas las tardes:

–Pobre Regaliz, qué pena que no puedas venir conmigo… Pero el autoestop es algo poco recomendable para los gatos. Ven, tengo una idea. Conozco a alguien que va a cuidar de ti de aquí al lunes…

Cari da unos golpecitos en una puerta y la abre antes de que le den permiso. Eneko la mira con ojos asombrados:

–¿Qué pasa?

–Nada, que he pensado que, como me voy, podrías ocuparte de Regaliz hasta el lunes.

Echa una rápida ojeada a la habitación, que está bastante desordenada: ropa por el suelo, cintas, la cama deshecha, un libro de cocina abierto… Y, encima de la mesa, junto a todo tipo de objetos en desorden, una enorme fotografía de una chica muy sonriente, toda dientes y melena rubia…

–¿Y adónde te vas?

–Por ahí… ¿Es tu hermana? –dice con fingida indiferencia.

–¿Quién?… ah, no. Es una amiga de San Sebastián, una chica muy maja.

–Ah, ya. Bueno, entonces, ¿qué?, ¿te vas a ocupar de Regaliz o no?

–Hombre, siempre que no me vacíe el frigorífico…

–Ya sabes: leche por la mañana, hígado o carne picada a mediodía y por la noche una mezcla de cereales y pescado…

Ah, y procura que no salga fuera del hotel, que puede pillarlo un coche.

Eneko la mira burlón:

—¿Y a qué hora lo baño? ¿Qué tipo de sales prefiere, lavanda o limón? ¿El aperitivo en el jardín o en el salón? ¿Le busco un canguro[31] para las noches?

—Tú eres tonto —Cari deja a Regaliz en brazos de Eneko, que no sabe qué hacer con él y se va, dando un portazo, echando, antes de marcharse, una mirada asesina a la chica del retrato.

En su cuarto, que está justo enfrente, ya ha preparado una bolsa de viaje con las cosas más necesarias, un poco de dinero y el carné de identidad. Baja las escaleras de tres en tres y en el vestíbulo se cruza con Paco:

—¿Adónde vas con esas prisas?

—¡A mi tierra!

—¿A estas horas? ¿Y en qué vas?

Cari levanta el pulgar derecho, sonriendo.

—Huy, huy, huy... Mucho cuidado, niña, que hay mucho loco por las carreteras.

—No te preocupes, Paco. Yo sé lo que hago.

—Bueno. Ojalá tengas suerte. Que te diviertas. Ah, y recuerdos al del *Dos caballos*[32].

—No se te escapa una, Paco. Todo lo sabes y todo lo ves. Pero el del *Dos caballos* ya no me importa mucho.

—Ahora te gustan más las motos... ¿A que sí?

—Muy gracioso —le dice con cierta ironía, pero, a pesar de eso, Cari se pone colorada y sale corriendo.

No quiere ponerse a hacer autoestop enfrente del hotel, que da a la carretera, por si se va don José. Así que anda unos cien metros hacia al norte, deja la bolsa en el suelo y se coloca esperando que algún coche se decida a pasar. "Son las ocho y cuarto –piensa–. Me gustaría llegar a Cartagena para cenar. Seguro que mi madre me ha hecho alguno de mis platos preferidos."

Pasa un coche alemán, lleno de cabezas rubias, y no se para. Pasa después un camión de suministro de gasolina… "Huy, este no. Qué miedo si se incendia". Pasa después un taxi a Mojácar, una ambulancia con su sirena, dos turismos con familias y muchos niños dentro… Cari empieza a impacientarse. Durante unos minutos no pasa nadie. Cari baja la mano. Aparece un camión en el horizonte. Vuelve a levantarla. Es un enorme camión de una empresa frutera. Cari oye un fuerte ruido de frenos y un chófer musculoso y sonriente, en camiseta, le abre la puerta.

–¿Adónde vas?

–¡A Cartagena! ¿Pasa usted por allí?

–No, dejamos la costa en Aguilas y después vamos hacia el interior, a Lorca, pero te podemos dejar en Aguilas y ya estás a mitad de camino.

–Vale –dice Cari mientras sube–. Hubiera preferido un Mercedes, pero a caballo regalado, no le mires el diente"[33], como dice siempre su madre.

–Muchas gracias –añade, sentándose junto al conductor.

Al fondo de la cabina hay una cortinilla y detrás se oyen unos ronquidos. Cari se asusta:

–No tengas miedo, es "La Bella Durmiente"[34], mi compañero. Vamos hasta Francia y ahora le toca a él dormir. Conducimos cuatro horas cada uno.

Cari mira al camionero de reojo. No es que tenga mal aspecto, pero no le convence que lleve una barba mal afeitada, ni que vaya en camiseta y, sobre todo, que la mire tanto… No está muy tranquila. Pone la bolsa entre los dos y se instala en el extremo opuesto del asiento.

–¿Quieres que te ponga música?

–No, gracias, que se va a despertar su amigo…

–Huy, a ese no lo despierta ni un cañón. Duerme siempre como un tronco[35] –contesta, mientras pone una cinta de sevillanas[36] a todo volumen.

–¿Y va usted a menudo a Francia? –dice, llamándole de usted para marcar distancias.

–¡Huy!, sí, a cada momento.

–¿Y qué tal el viaje?

–Bien. En Alicante tomamos la autopista del Mediterráneo y ya no hay problemas: llegamos al mercado de Perpiñán por la mañana temprano.

Delante del chófer, la fotografía de una mujer, morena y joven, con dos niños; una estampa de la Virgen de la Fuensanta[37]; otra de San Cristobal, patrón de los conductores; un ramito de claveles de plástico; una plaquita metálica que dice: "Papá, no corras mucho…; un trébol[38] de cuatro hojas… Dios mío, qué camión, parece un supermercado.

–¿Es usted casado? –pregunta Cari señalando la fotografía.

–¡Qué va! Esa es la mujer de mi compañero. A mí no me atrapa nadie –se ríe muy fuerte–. Tengo una francesita en Perpiñán; una morenita preciosa en mi pueblo; una…

Cari se aprieta cada vez más contra la ventanilla derecha del camión y se pregunta cuánto faltará para llegar a Aguilas.

Como si adivinara sus pensamientos, el camionero exclama:

–Ya estamos llegando a Aguilas. ¿Nos tomamos una cerveza a la entrada del pueblo? Hay una cafetería con una chiquita pelirroja que me trae loco…

–No, no. No se moleste. Tengo muchísima prisa. Quizá otro día… Gracias.

El camionero le aprieta la mano hasta hacerle daño y le aconseja:

–Es mejor que te pongas a esperar aquí, a la salida de la gasolinera: así, el que quiera llevarte no tiene que frenar y no hace una maniobra peligrosa.

–Vale, vale. Y otra vez mil gracias por todo.

–De nada, mujer, a una chica tan bonita como tú la llevaría yo al fin del mundo. Lástima que no vayas a Francia. ¡Adiós! ¡Oye! ¿Cómo te llamas?

–¡Caridad, Cari para los amigos!

–Bueno, pues, ¡adiós, Cari!

Y se aleja, con gran ruido de frenos. Cari piensa que en realidad era un hombre simpático y que ha tenido suerte de que la cogiera él. "Ya es casi de noche", piensa Cari un poco preocupada, volviendo a ponerse en postura de perfecta autoestopista.

Pasa, rapidísima, una moto con una pareja vestida de cuero negro y cascos ultramodernos. Cari los sigue con la mirada, nostálgica, y cuando vuelve a mirar para la izquierda, ve un coche blanco parado delante de ella, con la portezuela entreabierta:

–Puedes subir. Voy en esa dirección.

–Gracias.

Cari obedece, desconcertada, y se instala junto al hombre delgado y moreno, con gafas negras, a pesar de ser de noche.

–¿Y adónde va usted, exactamente, por favor? –pregunta Cari, un poco extrañada de que el conductor no se lo haya preguntado.

–Las niñas bien educadas no hacen tantas preguntas, preciosa –dice una voz glacial justo a su espalda. Se vuelve, aterrada, y ve a otro hombre, idéntico al primero y también con gafas negras, que hasta entonces había estado escondido. Con la mano izquierda se quita las gafas y con la derecha enseña una enorme navaja.

–¡El hombre de Garrucha! –dice Cari gritando a punto de desmayarse.

–Exacto, mi querido Watson[39]. El hombre de Garrucha, a quien no le gusta nada, pero nada, nada, que se burlen de él.

Han llegado a la salida del pueblo y el coche gira brusca-mente, entrando en una carretera secundaria que se aleja de la costa. Cari piensa bruscamente en su madre, que la espera en Cartagena con la cena preparada, y se siente muy mal. Le duele el estómago y la cabeza le da vueltas.

–Por Dios, por Dios, ¿adónde me llevan? No pueden hacer-me esto. ¿No ven que mi madre me está esperando para cenar? Déjenme salir del coche, se lo ruego…

–¿Has oído, Juanito? La señorita tiene hambre, su mamá la espera para cenar –el llamado Juanito se ríe con una risa horri-ble, llena de dientes amarillos–. No te preocupes, corazón, que Juanito y Jorgito te van a preparar un biberón especial para niñas de buena familia como tú –Juanito vuelve a reírse y Cari lo odia con todas sus fuerzas.

–Pero ¿qué quieren de mí?

–¿Que qué queremos? Pues muy fácil: esto es un secuestro, ¿sabes? Un SE-CUES-TRO, ¿te enteras? –y deletrea las sílabas con una sonrisa de vampiro–. Y el rescate[40]…

–¿Pero quién va a pagar el rescate, si mi familia es más pobre que las ratas? Mi madre es viuda. Somos seis hermanos y además el mayor está en el paro y encima yo solo tengo un contrato de cuatro meses en el hotel y…

Cari se echa a llorar. No puede más.

—Tranquila, muñeca. Nosotros no queremos molestar a la mamá de la señorita. Lo que nosotros queremos es que pague el rescate la señorita Rosa Linares. ¿Te suena este nombre? Porque si la señorita Rosa no paga inmediatamente los diez millones de pesetas que vamos a pedirle por teléfono, la policía y sus papás pueden enterarse de muchas cosas feas relacionadas con su vida privada, y sería una pena... ¿No crees que sería una pena?

Cari sigue llorando, llorando desesperadamente. Juanito le da un pañuelo, pero ella lo rechaza.

—Jorgito —le dice al otro cínicamente—, le doy asco a la señorita...

Sí, en verdad, lo que siente es asco, asco de estos dos bandidos.

—Bueno, nena. Ahora escúchanos atentamente: vamos a pararnos en una cabina. Voy a llamar a Rosa en Madrid, para que diga a su familia que deje el rescate en el lugar que le digamos. ¿Está claro?

—Pero yo... yo... ¡Dios mío!

—Y si no lo hace, cuidadito: su reputación y tu vida corren peligro, ¿sabes? Un accidente le puede ocurrir a cualquiera, ¿verdad, Juanito? Las carreteras se ponen tan peligrosas en verano.

Juanito se ríe y Cari llora. Busca un pañuelo para sonarse, pero... ¡Dios mío! ¿Dónde está su bolsa? ¡Se la ha dejado en la cabina del camión! ¿En qué estaba pensando cuando se bajó de él? La culpa fue del idiota del camionero, con sus historias de chicas. Se limpia las lágrimas con la mano, observando con terror el gángster que sigue dándole instrucciones:

—Después, te pones tú al teléfono y así ven que es verdad que te tenemos secuestrada, ¿de acuerdo?

Cari no contesta porque sigue llorando. El coche se para en la entrada del pueblo y Cari consigue ver el letrero con el nombre de Lorca. Están en Lorca, Virgen Santísima, lejísimos de Cartagena y su madre con el gazpacho y la mesa puesta... ¡Qué horror! El horrible Jorgito la empuja hacia la cabina, navaja en mano, y Juanito vigila fuera. Mientras el primero introduce unas monedas y marca un número, Cari ve, a través del cristal, un bar iluminado, a unos cincuenta metros de distancia. Se oye una tele y se ve a un grupo de jóvenes bebiendo vino en la barra. Una pareja sale del bar, besándose, y pasa cerca de la cabina. Cari hace horribles guiños con los ojos, la boca, la nariz, para atraer su atención, pero nada. Jorgito le pone la punta de la navaja en el costado. La pareja se aleja hacia un camión que está aparcado al borde de la carretera:

–Llama otra vez.

–Pero si están comunicando...

–Aunque estén comunicando. Tú llama y ya veremos si comunican o no.

En ese mismo momento, el hombre del camión, que estaba besando a la chica, se separa de ella, mira hacia la cabina y hace un gesto de asombro:

–¡Pero si es Cari, no es posible! –y empieza a correr hacia ella con grandes apavientos–. Cari ¡qué casualidad! Iba a dejar tu bolsa en el cuartelillo de la Guardia Civil[41]... ¡Te has dejado la bolsa en el camión!

El coche blanco, con los dos hombres morenos de gafas, arranca con un ruido infernal, y Cari se va desmayando poquito a poco entre los brazos del camionero, que comprueba que, efectivamente, es una chica muy guapa.

…y Cari se va desmayando poquito a poco…

Capítulo 6

Dos horas más tarde están todos en Cartagena, sudando de calor, sentados a la mesa de la madre de Cari, en torno a un delicioso gazpacho que va a refrescar tantas emociones.

–Hija, ¡qué susto nos has dado! Creíamos que te había pasado algo... ¡Vaya horas de llegar!

–Tranquila, señora, que su hija conmigo y mi compañero "La Bella Durmiente", aquí presente, no corre el menor peligro...

–Y todavía no me has dicho de qué conoces a este señor, Cari...

Cari empieza a sudar de nuevo. ¿Cómo va a confesar a su madre que ha venido en autoestop?

–Bueno... lo conozco de vista. Es el que nos trae la fruta al hotel, y el otro día me dijo que venía a Cartagena a cargar, y que si quería aprovechar me viniese con él y así me salía el viaje gratis. Y aquí estoy.

El otro camionero dice:

–Señora, es el mejor gazpacho que he comido en mi vida.

–Muchas gracias, hijo. Lo que pasa es que está un poco escaso, porque no contaba con vosotros, y en casa somos tantos...

Manolo, el hermano mayor de Cari, propone que vayan todos a bailar a una discoteca al aire libre que han abierto hace poco, a la orilla del mar, pero los dos camioneros dicen que tienen que seguir el viaje, que ya llevan mucho retraso. Se despiden y Cari los acompaña hasta la calle:

–No sé cómo agradecértelo, me has salvado la vida –le dice en voz baja.

–Calla, calla. ¿Sabes lo que te digo? Pues que ojo con lo de viajar en autoestop, porque tipos como yo hay pocos, ¿sabes? Oye, ¿tú no te has quedado con la matrícula de los tíos aquellos, no? Pues yo tampoco. No me ha dado tiempo, con el susto que tenía al verte en el suelo... Bueno, ya sabes, cuando pase por Mojácar, entraré al hotel a saludarte.

–Y yo, siempre que viaje por la autopista me fijaré en todos los camiones, a ver si te veo. Y gracias, un montón de gracias por todo lo que has hecho.

La gente joven se ha ido a la discoteca. Paloma, la hermana más pequeña, está mirando la película de la tele y Cari vuelve a la cocina para ayudar a su madre a recoger las cosas.

–Deja, mamá. Yo fregaré.

–No, hija, que tú trabajas toda la semana.

–Y tú... ¿no trabajas tú todos los días de todas las semanas?

–Bueno, es diferente...

–Claro. Es diferente, porque a ti no te paga nadie.

–Anda, anda. No empieces con tus "feminismos". ¿Qué quieres que haga yo a mis años?

–A tus años, a tus años... Pues no eres tan vieja. Además estás muy joven para tu edad. Y muy guapa, ¿sabes? Que el camionero también te miraba a ti...

–¡Huy, hija, menudo donjuán, tu camionero! ¡Mucho ojo[42] con él!, ¿eh?

–Tranquila, mamá, tranquila... Los hay peores. Anda vamos a fregar entre las dos.

Cari coge el estropajo y el detergente y va fregando los platos, los vasos, la sopera, los cubiertos... La madre sacude las migas del mantel, lo dobla, recoge las servilletas, pone las sillas en su sitio, pone un jarrón con flores en el centro de la mesa y después coge un paño limpio y se pone a secar todo lo que Cari ha fregado. Mientras, hablan y hablan. A Cari le encanta hablar con su madre, que le cuenta cosas de toda la familia, los amigos, los vecinos, y siempre se ríe, se ríe sin quejarse nunca, a pesar de la vida tan monótona que lleva.

Cuando todo brilla en la cocina, ya es la una de la madrugada. Cari no hace más que bostezar. Su madre le dice:

—Anda, vete a la cama, que mañana será otro día...

Cari se mete en la ducha porque, después de tantas emociones, una ducha templada es lo más agradable del mundo y entra en su cuarto, que comparte con su hermana Paloma desde que esta nació. Paloma ya lleva bastante rato durmiendo. Cari se mete en la cama y desde ella mira el mundo tranquilizador de su infancia: su fotografía de primera comunión, el osito que durmió con ella tantos años, sus discos, sus libros, el viejo despertador que hace tanto ruido y una foto de Gabriel. "Es imposible que haya vivido la horrible aventura de esta noche, debe de ser una pesadilla", piensa, temblando de miedo entre las sábanas. Como adivinando sus pensamientos, entra su madre y le da un beso:

—Que duermas bien... Estoy tan contenta de que estés aquí...

—Yo también, mamá —dice Cari, y cinco minutos después se queda dormida.

NOTAS EXPLICATIVAS

(1) En familia y entre amigos se suele emplear el diminutivo de nombre de pila: Cari (Caridad), Pili (Pilar). Es también costumbre dar a las chicas nombres de vírgenes o de santas relacionadas con la localidad donde han nacido. La Virgen de la Caridad es la patrona de Cartagena; la del Pilar, de Zaragoza; la de Montserrat, de Cataluña, etcétera.

(2) **Llevar la voz cantante.** Se refiere a la persona que dirige una determinada situación.

(3) **Uña y carne.** Se dice de dos personas que se llevan muy bien o que siempre están juntas que "son uña y carne".

(4) Se utiliza esta expresión para indicar que alguien no dice nada.

(5) El ejecutivo suele ser un ingeniero o economista que tiene un puesto importante en una empresa y que lleva un tren de vida de cierto nivel.

(6) En la lengua familiar se puede llamar **viejos** a los padres sin que resulte peyorativo.

(7) **Franco.** Francisco Franco fue el dictador que gobernó en España después de la Guerra Civil, entre los años 1939 y 1975.

(8) *¡Hola!.* Revista semanal española. Pertenece al género de la prensa del corazón. Su tema principal es la vida de los famosos.

(9) *Yuppie.* Término de origen inglés, muy popular en los años 80, que designa al prototipo de ejecutivo que triunfa en su carrera.

(10) **Lonja.** Edificio público que sirve de mercado, dedicado sobre todo a la venta y subasta de pescado.

(11) **Garrucha.** Es uno de los pueblecitos del norte de la provincia de Almería, cuyo puerto es conocido, sobre todo, por su buen pescado y sus restaurantes.

(12) **Mili.** Denominación coloquial de *servicio militar*, el servicio que prestan los ciudadanos a su país formándose como soldados o marineros. En España no es obligatorio desde el año 2002.

(13) **Ajoblanco.** Sopa fría muy refrescante que se toma en verano, sobre todo en Andalucía, compuesta de almendra, miga de pan y ajos triturados, y que se acompaña con uvas.

(14) **Bonito.** Pescado parecido al atún, de menores dimensiones.

(15) **Guindilla.** Pimiento pequeño, muy picante.

(16) *Minipímer.* En España, el modelo más popular de electrodomésticos para triturar alimentos fue *Minípimer*, que se ha convertido en un nombre común.

(17) El **vasco** o **euskera** es la lengua histórica del País Vasco, que actualmente se habla y se enseña, en régimen de bilingüismo oficial con el castellano, en esta Comunidad Autónoma.

(18) **Judías con chorizo.** Plato tradicional de la cocina castellana y del norte. En otras regiones se las llama "alubias".

(19) **Autónomo.** Trabajador que no depende de ningún patrón o dueño, es decir, que es su propio patrón.

(20) **Propina.** Pequeña cantidad de dinero que se suele dejar cuando alguien hace un servicio bien atendido, como puede ser a un camarero en un restaurante o cafetería. Suele ir en proporción a la factura.

(21) **Llave maestra.** Es la que sirve para abrir todas las puertas.

(22) Se dice que en un asunto o situación hay **gato encerrado** cuando se imagina que tiene un misterio o algo poco claro.

(23) **Llorar como una Magdalena.** Expresión de origen evangélico, sinónima de "llorar intensamente".

(24) **Camello.** En lenguaje coloquial, traficante de droga al por menor.

(25) **Pinta.** En lenguaje coloquial, significa "aspecto".

(26) **Es una joya.** Se dice, en lengua coloquial, de alguien que tiene mucho valor o que realiza bien una determinada tarea.

(27) **Ser un plomo.** Se dice de una persona que es muy insistente o pesada.

(28) **IVA.** Siglas correspondientes a *impuesto sobre el valor añadido.* Impuesto sobre los bienes de consumo que pagan los ciudadanos de la Unión Europea.

(29) **Sabina.** Joaquín Sabina es un cantautor español que en sus canciones habla, sobre todo, de Madrid y su problemática social.

(30) **Tío.** En lenguaje coloquial, es sinónimo de "persona" o "tipo".

(31) **Canguro.** Se llama así a la chica o chico que se gana algún dinero cuidando a los niños durante la ausencia de los padres. El verbo es "hacer un canguro".

(32) *Dos caballos.* Modelo antiguo de coche de la marca Citroën.

(33) **A caballo regalado no le mires el diente.** Refrán que significa que no se deben menospreciar las cosas regaladas, aunque sean de mala calidad. Su origen se debe a que, cuando se adquiere un caballo, se conoce su edad mirándole los dientes.

(34) **La Bella Durmiente.** Título de una cuento de Charles Perrault cuya protagonista es una joven que duerme durante cien años.

(35) **Dormir como un tronco.** Expresión que significa "dormir profundamente".

(36) **Sevillanas.** Género musical y de danza andaluz muy popular en España.

(37) **Virgen de la Fuensanta.** Patrona de la región de Murcia, en el sureste de España.

(38) Se dice que trae buena suerte encontrar un **trébol de cuatro hojas.**

(39) **Watson.** Personaje de la serie de novelas policíacas de Sherlock Holmes, de Arthur Connan Doyle. Se suelen hacer bromas con la denominación empleada por el detective con su ayudante.

(40) **Rescate.** En el caso de un secuestro, importe de dinero o condición que se fija para poner en libertad a la persona que se tiene como rehén.

(41) **Cuartelillo.** Forma coloquial de denominar al Cuartel de la Guardia Civil. En las pequeñas aglomeraciones urbanas de España donde la Policía Nacional no tiene sede, la Guardia Civil ostenta la autoridad.

(41) Cuando se desconfía de alguien o se ve una situación dudosa, se suele decir emplear la expresión "**mucho ojo**".

¿HAS COMPRENDIDO BIEN?

Capítulo 1

1. ¿Por qué está hoy Cari tan ocupada y nerviosa?
2. Describe a algún miembro de la familia de doña Rosa.

Capítulo 2

3. ¿Por qué le molesta a Cari que Eneko contemple a Rosa?
4. Basándote en la discusión entre Cari y Eneko,
   ¿qué diferencias imaginas entre la cocina del norte
   y la del sur de España?
5. ¿Por qué se enfada Cari al salir de la cocina?
6. ¿Cómo es Rosa?
7. ¿Cuál fue el motivo del regreso de Paco a España?
8. ¿Crees que vivía mejor en Alemania que en su tierra?
9. ¿Qué problemas piensas que encuentra un emigrante
   dentro y fuera de su país?
10. ¿Hay trabajadores emigrantes extranjeros en tu país? ¿Crees
    que les pasan cosas parecidas a lo que cuenta Paco?

Capítulo 3

11. ¿Por qué se siente mal Cari esta tarde?
12. ¿Quién se presenta en la recepción y para qué?
13. ¿Para qué sube Cari personalmente al cuarto de Rosa?
14. ¿En qué estado está el cuarto?
15. ¿Qué le ha pasado a doña Rosa?
16. ¿Por qué sospecha de Cari la familia de doña Rosa?
17. ¿Qué ve Cari en el cuarto de Rosa?

Capítulo 4

18. ¿Puedes describir la escena en el puerto de Garrucha?
19. ¿Cuál es el problema de Rosa?
20. ¿Qué mentira inventa Cari para tranquilizar a la familia de Rosa?
21. ¿Por qué está feliz Cari?

Capítulo 5

22. ¿Qué diferencias ves entre Cari y Rosa?
23. ¿Por qué se han hecho amigas?
24. ¿Tienen algo en común?
25. ¿Qué le cuenta a Cari por teléfono su madre?

Capítulo 6

26. ¿Por qué no hace Cari autoestop delante del hotel?
27. ¿Qué le pide Cari a Eneko antes de marcharse?
28. ¿Por qué se burla Eneko de ella?
29. ¿Le gusta a Cari la foto del cuarto de Eneko?
30. ¿Te parece prudente que una chica sola haga auto-stop? Justifica tu opción.
31. Háblanos del camionero. ¿Cómo lo ves? ¿Con qué adjetivos lo calificarías?
32. ¿Te parece la familia de Cari una familia típicamente española?
33. ¿Qué defectos y qué cualidades le encuentras?